D1279793

Yoyoman
Le commencement

[CORNAC]

5, rue Sainte-Ursule
Québec (Québec) G1R 4C7
info@editionscornac.com

Illustrations: Mathieu Benoit
Infographie: Mathieu Giguère
Édition: Érika Fixot, Marie-Eve Jeannotte
Révision: Patricia Juste Amédée, Élyse-Andrée Héroux
Correction: Élaine Parisien
Impression: Marquis inc.

Distribution:
Prologue
1650, boul. Lionel-Bertrand
Boisbriand (Québec) J7H 1N7
Téléphone: 450 434-0306
                      1 800 363-2864
Télécopieur: 450 434-2627
                      1 800 361-8088

Distribution en Europe:
D.N.M. (Distribution
du Nouveau Monde)
30, rue Gay-Lussac
F-75005 Paris, France
Téléphone: 01 43 54 50 24
Télécopieur: 01 43 54 39 15
www.librairieduquebec.fr

Les éditions Cornac bénéficient du soutien financier du gouvernement du Québec — Programme de crédit d'impôt pour l'édition de livres — Gestion SODEC et sont inscrites au Programme de subvention globale du Conseil des Arts du Canada.
Nous reconnaissons l'aide financière du gouvernement du Canada par l'entremise du Fonds du livre du Canada (FLC) pour nos activités d'édition.

Société
de développement
des entreprises
culturelles
Québec

Conseil des Arts
du Canada

Canada Council
for the Arts

© Cristophe Bélair, Les éditions Cornac, 2012
Dépôt légal — 2012

Bibliothèque et Archives nationales du Québec
Bibliothèque nationale du Canada
ISBN: 978-2-89529-196-1
          978-2-89529-202-9 (ePub)
          978-2-89529-206-7 (ePDF)

Cristophe Bélair

Illustrations de Mathieu Benoit

Le commencement

À grand pouvoir, grandes responsabilités.
Ben Parker, *Spider-Man*

À Léonard, mon fils

CHAPITRE 1
Un nouveau quartier

Depuis qu'il avait ouvert les yeux ce matin-là, Léonard **maugréait**.

— Allez, fiston ! C'est aujourd'hui le grand départ, lui avaient dit ses parents à son réveil.

Le quartier dans lequel Léonard et ses parents emménageaient était peut-être bien joli, mais jamais il ne serait aussi amusant que celui qu'il quittait. Ses parents savaient qu'il était triste, mais le déménagement s'imposait. Leur compagnie d'articles de sports extrêmes prenait de plus en plus d'expansion et, par conséquent, ils devaient se rapprocher de la métropole. Pour eux, la ville de Beauchêne était parfaite. Située dans les Basses-Laurentides, cette municipalité était reconnue pour être très dynamique. Une ville à l'image des Lacourse !

Léonard aidait au déménagement, sans grand enthousiasme. Ses parents ne le bousculaient pas trop, puisqu'ils savaient qu'il avait le cœur gros.

En ce moment, il transportait une boîte sur laquelle il avait écrit en grosses lettres : « FRAGILE ! » Il avait été clair et ferme avec ses parents :

— Défense de toucher à celle-ci ! leur avait-il dit avant de commencer le travail. Vous m'avez bien compris ?

Cette boîte qu'il tenait fermement était pour lui aussi précieuse qu'un trésor : elle contenait tous ses yoyos. Léonard était un passionné de ce jeu. Sans exagération, c'était un champion. En fait, il excellait dans bien des choses, mais surtout dans les sports extrêmes et le maniement du yoyo.

Quand il fut enfin sur le balcon arrière de sa nouvelle maison, Léonard fit une pause. Les voisins, qu'il ne connaissait pas encore, bien entendu, possédaient, comme lui, une merveilleuse piscine. Des enfants de son âge étaient en train de s'y baigner et semblaient s'amuser follement. Il les regarda un instant avec envie. Une **rouquine**, debout sur le tremplin, s'apprêtait à plonger. Mais quand elle le vit, elle freina son élan et le salua. En retour, Léonard lui adressa un sourire. Curieusement, il sentit son cœur s'emballer.

Il ne restait plus rien dans le gros camion. Les parents de Léonard étaient fourbus. Pour souligner la fin du déménagement, ils commandèrent de la pizza, le mets préféré de leur fils. Pas si mal, la pizzeria du coin! Comme il s'y attendait, Léonard se régala. Il en mangea trois pointes. Le ventre bien plein, maintenant, il tournait en rond dans la cour arrière.

— Va donc faire un tour de vélo! lui dit son père, affalé sur une chaise longue près de la piscine. Ça te fera digérer...

Un peu à contrecœur, Léonard enfourcha un de ses BMX (il en avait plusieurs, car ses parents en fabriquaient) et s'engagea dans la rue. À ce moment, une voiture sortit de l'entrée voisine. De nouveau, son cœur fit deux tours quand ses yeux se posèrent sur la fillette qu'il avait vue plus tôt dans l'après-midi. Assise sur la banquette arrière de l'automobile, elle le regardait. Qu'elle était jolie ! Elle lui fit encore un magnifique sourire et lui envoya la main. Léonard était si troublé qu'il faillit tomber de son vélo quand il la salua à son tour. Génial ! Elle était sa voisine. « Voilà une petite consolation !... » songea-t-il en souriant intérieurement.

Pas très loin de la maison, il y avait un parc. Léonard le trouva plutôt intéressant. Les installations lui permettraient sans aucun doute de s'amuser : de nombreuses rampes, des murs d'escalade, des trampolines, des jeux modulaires... Léonard était convaincu que, dans un quartier, le parc était l'endroit idéal pour se faire des amis. Il avait bon espoir d'y faire de nouvelles rencontres.

En effet, il y avait de nombreux enfants, et plusieurs semblaient être de son âge. Mais comme il se sentait gêné d'aller vers eux, il sortit son yoyo. Peut-être qu'il les attirerait en exécutant quelques trucs simples... Quelques minutes seulement après qu'il eut commencé à jouer, un groupe d'enfants un peu plus vieux que lui, composé de cinq garçons et d'une fille, s'approcha pour mieux voir ce qu'il faisait. Léonard était fier de lui. Il était parvenu à piquer leur curiosité ! Ils voudraient sûrement en voir davantage. Léonard leur montrerait ses tours les plus inusités, et ils seraient sûrement impressionnés par ses prouesses !

— Hé ! fit le costaud du groupe, d'une voix peu amène. On ne t'a jamais vu ici !

— C'est sûr, je viens d'emménager. J'habite tout près, rue des Perles, répondit Léonard.

— Un autre snob ! fit le costaud avec un air méprisant. C'est la rue où il y a des grosses maisons... Ici, on n'accepte pas les bébés.

— Les bébés ? répéta Léonard sans comprendre.

— Range donc tes bidules ! Les yoyos, c'est pour les idiots. Fais de l'air ! On ne te veut pas dans notre parc, gronda son interlocuteur d'un ton menaçant.

Léonard était secoué. Il ne savait que répondre à cette provocation. Ne voulant pas s'attirer d'ennuis, il rangea son yoyo, puis il partit en vitesse. Pauvre Léonard ! Comme accueil, on avait vu mieux... Le garçon, triste et en colère, se mit à détester cet endroit et à **pester** contre lui. Il regrettait le quartier que ses parents l'avaient contraint à quitter. Il leur en voulait de l'avoir déraciné. Des larmes ruisselaient sur son visage... Et ces jeunes, mais pour qui se prenaient-ils ? Les yoyos pour les bébés ! Là où il vivait auparavant, tous ses amis jouaient au yoyo. Léonard était le meilleur, et de loin. Ce jeu n'avait rien d'enfantin. Pour manier les yoyos aussi bien qu'il le faisait, il fallait s'entraîner de longues heures !

Enfin, Léonard arriva à la maison, le cœur en charpie. Déboussolé, il descendit au sous-sol, puis il se réfugia dans sa nouvelle chambre. Il continuerait de jouer à son jeu préféré, mais en cachette. Dans sa maison, il ferait ce qui lui plairait. Seul, il jouerait sans être **importuné** par quiconque...

CHAPITRE 2
Thomas

Un yoyo à la main, Léonard marchait d'un pas alerte dans le sous-sol de la maison, comme s'il était le superviseur des hommes qui y travaillaient depuis une semaine. En fait, il était très intéressé par ce qu'ils faisaient. Jusqu'à maintenant, les ouvriers que ses parents avaient engagés avaient installé des rampes, des murs d'escalade, et beaucoup d'autres modules de jeu. Son sous-sol serait formidable. Léonard avait hâte qu'ils quittent la maison. Alors il pourrait faire du vélo, de la planche à roulettes et du patin à roues alignées.

La nouvelle maison était particulière. Son sous-sol était immense et profond. Les murs atteignaient plus de sept mètres de hauteur. Lors de la première visite, quand ses parents avaient vu cette demeure, tout de suite ils avaient su qu'elle leur permettrait, entre autres, de construire une grande salle de jeu où leur fils pourrait s'adonner à ses passions. « Léonard s'amusera comme un petit fou avec ses nouveaux amis, se disaient-ils. Il oubliera rapidement notre ancienne demeure. » Pour l'instant, cependant, ça ne semblait pas être le cas... Depuis qu'ils avaient emménagé dans cette maison, Léonard en était sorti seulement quelques fois et s'était contenté de rester dans la cour... Et pouvait-on considérer cela comme des sorties ? Ses parents le trouvaient un peu sauvage, mais ils préféraient ne pas trop le brusquer. Ils savaient qu'il vivait difficilement les derniers événements.

Quand les ouvriers eurent enfin achevé les travaux, Léonard retrouva momentanément le sourire. Les heures qu'il passa à virevolter sur les rampes le comblèrent de joie. Lorsqu'il s'arrêta pour souffler un peu, sa mère, Tanya, descendit le voir.

— Puis, comment trouves-tu les rampes ? lança-t-elle.

— Super ! répondit le garçon avec un large sourire.

— Papa vient d'arriver, reprit-elle. Il a apporté un nouveau vélo, un **prototype**. Nous aimerions que tu l'essaies.

— Pas de problème! Mais où est-il? demanda aussitôt Léonard.

— Dehors. Nous voulons que tu en fasses l'essai à l'extérieur, expliqua sa mère.

— Ici, c'est parfait! répliqua Léonard, un peu étonné.

— Non, nous désirons que tu l'expérimentes sur une rampe extérieure, insista Tanya.

En fait, il s'agissait d'un **subterfuge** de ses parents pour l'obliger à sortir de la maison. «S'il veut s'intégrer, pensaient-ils, il doit aller vers les autres.»

Léonard suivit sa mère sans enthousiasme. Mais quand il vit le vélo que son père lui présenta, son entrain revint. Le nouveau BMX semblait parfait! Sans même l'avoir touché, Léonard savait déjà qu'il parviendrait à faire des choses exception-nelles avec cet engin. Il l'enfourcha et se rendit au parc. Il était heureux, puisqu'il pouvait s'amuser avec un nouveau vélo, mais il ressentait tout de même une certaine anxiété... Tomberait-il cette fois sur des enfants plus **courtois** ? Il s'encouragea en se disant que, quoi qu'il en soit, les rampes qu'il avait vues la fois précédente lui permettraient sans aucun doute de s'amuser.

Plusieurs enfants étaient déjà présents quand il arriva. Ils étaient soit à vélo, soit sur une planche à roulettes. Ne voulant pas trop attirer l'attention, Léonard exécuta quelques figures simples avec son BMX. S'il en faisait trop, il risquait de contrarier les autres. Il ne voulait surtout pas avoir de problèmes. Tout était déjà assez compliqué comme cela... Mais même s'il se bornait à faire des acrobaties qu'il considérait comme banales, tout de suite les regards se braquèrent sur lui. Par contre, cette fois, les enfants étaient gentils.

— Salut ! Je m'appelle Thomas, dit un garçon qui semblait avoir son âge. Tu viens d'emménager dans le quartier ?

— Oui, ça fait à peine une semaine, répondit Léonard.

— Es-tu inscrit à l'école du Tournesol ? demanda le garçon.

Léonard acquiesça.

— Super ! En quelle année es-tu ? reprit Thomas.

— Je commence la quatrième.

— Comme moi. Peut-être qu'on sera dans la même classe, fit Thomas avec un sourire.

— Peut-être, lâcha Léonard en souriant aussi.

Thomas était charmant. Il parlait de façon **incessante**, mais Léonard trouvait cela amusant. Thomas était très impressionné par les figures que faisait son nouvel ami avec son BMX. Pourtant, celui-ci exécutait le minimum de ce qu'il savait faire. Réceptif et très intéressé, Thomas lui demanda de lui enseigner quelques figures. Léonard fit de son mieux pour lui expliquer les choses clairement. Vers la fin de l'après-midi, alors que Thomas s'apprêtait à rentrer chez lui, Léonard lui dit :

— En tout cas, je suis content de t'avoir rencontré, Thomas. Tu es pas mal plus sympathique que ceux que j'ai rencontrés la semaine dernière...

— Aurais-tu eu la chance de rencontrer Traverse et sa bande, par hasard ? lança Thomas.

— Je ne sais pas. Ils ne se sont pas présentés..., fit Léonard, embarrassé.

— C'était sûrement eux. Ils sont en sixième. Je t'en parlerai la prochaine fois qu'on se verra...

Thomas partit à vélo. Léonard resta un moment avec d'autres enfants qu'il ne connaissait pas encore.

Mais brusquement, l'atmosphère se transforma. Tous les amis avec qui il s'amusait s'immobilisèrent. À toute vitesse, ils le saluèrent et s'éparpillèrent dans toutes les directions. Quand Léonard aperçut le groupe avec lequel il avait eu des problèmes la dernière fois qu'il était venu au parc, il comprit la réaction soudaine de ceux avec qui il jouait quelques minutes auparavant.

— Hé! C'est le gars qui s'amusait avec un yoyo! s'écria le plus grand, le chef sans doute. Dis donc, serais-tu sourd, ou peut-être idiot?

— J'opterais plus pour « idiot », à lui voir l'air, fit une grande blonde en s'esclaffant.

— C'est notre parc! reprit le jeune voyou. Si tu veux jouer ici, tu devras nous donner quelque chose en échange! Je prendrais bien ton vélo... Un Lacourse, ce n'est pas donné. J'exigerais bien que tu me le donnes, mais je ne pousserai pas trop. Si tu ne veux pas qu'on te casse en mille morceaux, tu nous donnes ta paire de chaussures. Ce sont des Lacourse aussi. Ça tombe bien! Seuls les pros comme moi peuvent porter des choses signées Lacourse.

Léonard refusa catégoriquement, mais resta calme. Il ne voulait pas attiser le feu. Afin d'éviter les ennuis, il enfourcha son vélo et commença à pédaler. Mais il ne parcourut pas une longue distance... Tous les voyous se ruèrent sur lui. De force, ils lui enlevèrent ses souliers. Ils en profitèrent également pour le rudoyer. Puis ils partirent en riant.

— La prochaine fois, tu as intérêt à nous écouter. Quand on veut quelque chose, on le prend de force si la personne ne nous obéit pas, lui crièrent-ils de loin.

Léonard revint à la maison. Son cœur bondissait dans sa poitrine. Son visage était rouge écarlate.

— Et puis, comment trouves-tu le nouveau vélo? lui demandèrent ses parents.

— Pas mal, répondit-il d'une voix sans timbre.

— Mais où sont passés tes souliers ? fit son père.

— Je les ai perdus en faisant une vrille !... mentit Léonard.

Ses parents trouvèrent cela étrange. Perdre une paire de souliers en faisant une vrille ? Leur fils leur cachait-il quelque chose ?...

CHAPITRE 3
La rentrée des classes

Pour la première journée d'école, Léonard fit le trajet à vélo. Il attacha son BMX à la clôture à l'aide de son cadenas, parmi des dizaines d'autres bicyclettes. Heureusement, Thomas, le sympathique garçon avec qui il s'était amusé la veille sur les rampes du parc, vint tout de suite à sa rencontre. Léonard était soulagé d'avoir un ami avec qui parler.

Quand la cloche sonna, les élèves allèrent se mettre en rang devant leur nouveau professeur. Léonard suivit Thomas et se plaça en face d'une grande dame élégamment vêtue. En retrait, les vauriens avec lesquels il avait eu des problèmes le regardaient. Lorsqu'il s'en rendit compte, Léonard **tressaillit**. Mais, sans délai, il se ressaisit. À l'école, ils ne pouvaient rien lui faire...

Une fois qu'ils furent passés à leur casier, tous les élèves se rendirent en classe. Léonard était content : sa jolie voisine, qu'il ne connaissait toujours pas, était dans sa classe ! Comme par hasard, elle était assise à côté de lui.

— Bonjour ! Je m'appelle Léa. Et toi, comment t'appelles-tu ? souffla-t-elle en se penchant vers lui.

— Léonard ! fit le garçon en rougissant un peu.

— Tu ne sembles pas aimer sortir de chez toi, poursuivit la fillette. Je ne t'ai pas vu souvent dans le quartier depuis ton arrivée.

— Ces derniers temps, j'ai été très occupé..., expliqua Léonard. Un déménagement, c'est beaucoup de travail. Mais ça devrait bientôt rentrer dans l'ordre.

L'enseignante souhaita la bienvenue à tout le monde. Elle se présenta : Mme Marie. Ensuite, elle s'approcha de Léonard.

— Cette année, nous avons la chance d'avoir un nouvel élève. Aimerais-tu te présenter ?

— Bonjour ! Je m'appelle Léonard Lacourse. Auparavant, j'habitais dans la région de Québec, dit Léonard, un peu gêné d'être soudain le point de mire de toute la classe.

— Bien ! Qu'est-ce que tu aimes faire ? reprit son enseignante.

— Du sport ! L'été, surtout du BMX et de la planche à roulettes, expliqua Léonard.

— Ça tombe bien ! fit Mme Marie en souriant. À l'école, on a plusieurs adeptes de ces sports.

La matinée passa rapidement. Chacun devait préparer ses cahiers, ranger son bureau, vérifier tous ses effets scolaires… Au moins, pour commencer, ce n'était pas trop compliqué. Mme Marie présenta ensuite les nombreuses activités auxquelles il était possible de participer au cours de l'année, dont le journal scolaire. C'est à ce moment que Léonard sut que Léa était une journaliste **émérite**. L'enseignante s'était tournée vers elle.

— Léa, seras-tu encore cette année notre éditorialiste?

— Bien sûr, madame Marie. D'ailleurs, j'ai déjà quelques idées intéressantes, répondit-elle avec enthousiasme.

Juste avant le dîner, Mme Marie annonça aux enfants qu'un bal costumé aurait lieu à l'école le vendredi suivant. Cette nouvelle les enchanta.

À la cafétéria, Léonard s'assit à une table avec Thomas.

— Ton nom de famille est Lacourse! Comme les vélos! s'exclama Thomas avec de grands yeux.

— Bien oui! répondit modestement Léonard.

Le nom qu'il portait était très populaire auprès des adeptes de sports extrêmes. Mais pour le moment, Léonard préférait rester dans l'ombre. Il ne voulait pas que tout le monde connaisse l'identité de ses parents. Ce n'était pas parce qu'il avait honte d'eux, au contraire. Il les admirait beaucoup. Son père et sa mère étaient géniaux! Tout jeunes, ils avaient su faire leur marque dans le monde du sport extrême. Athlètes de haut niveau, ils avaient fait les Jeux olympiques, puis les X Games. Ils avaient fini par fonder leur propre compagnie et avaient réussi à mettre au point des produits sécuritaires et de qualité. Mais la notoriété de son père et de sa mère pouvait parfois être lourde à porter. Léonard voulait avoir de vrais amis. Il souhaitait qu'on s'intéresse à lui et pas seulement au nom qu'il portait.

— Moi, mon nom de famille, c'est Vadeboncœur, comme les chocolats, reprit Thomas. Mais aucun lien de parenté! Mes parents sont ingénieurs.

Léonard écoutait son ami d'une oreille un peu distraite. Curieusement, il se sentait **épié**. En effet, de nouveau, il réalisa que les adolescents qu'il avait rencontrés au parc le fixaient de leurs yeux haineux. Il tenta de les ignorer, mais c'était difficile.

— Traverse et sa bande t'ont dans leur mire, fit Thomas, la bouche pleine.

— Quoi ?! Il s'appelle vraiment Traverse ? s'étonna Léonard.

— En fait, son nom est Mickaël Traverse. Mais tout le monde l'appelle Traverse. Même les professeurs entre eux.

— Mais qui sont-ils au juste ? Ce sont les petits caïds de la place ? demanda Léonard.

— Tu as tout compris. Je te fais une petite présentation. D'abord, il y a Traverse, le chef. C'est le plus costaud et le plus fort. Il est sans pitié. Ses poings sont de véritables marteaux. C'est fou, tout ce qu'on raconte à son sujet ! Ensuite, il y a les autres : les frères Lapointe, Taylor King, Colin Auclair, Vanessa Laprise et Benoît Vézina. Ce sont les petits « soldats » de Traverse, si tu veux. Ils lui obéissent au doigt et à l'œil. Ce sont de vrais voyous. Ils font comme les truands qu'on voit à la télé. D'après ce que j'ai entendu, ils auraient même un repaire.

— Ah oui ! Où ça ? lança Léonard, intéressé.

— Dans un des vieux hangars abandonnés de l'ancien parc industriel. C'est là qu'on allait faire du BMX avant que le maire décide enfin de bien aménager le parc. Depuis deux ans, ces voyous font ce qu'ils veulent. Si tu veux avoir la paix, tu dois t'en tenir loin. Le jour où ils décident de te faire la vie dure, tu es cuit.

— Pourquoi ne les dénoncez-vous pas à la direction de l'école? demanda Léonard.

— Ce serait bien pire! Imagine ce qu'ils nous feraient. Tout le monde préfère se taire, dit Thomas en baissant la voix.

Tout ça était odieux! Léonard jeta son sandwich; il n'avait plus faim. Vivre dans un climat de peur ne lui plaisait pas du tout...

L'après-midi fut plutôt agréable. Mme Marie les fit travailler en équipes de deux. L'exercice de grammaire était simple. Léonard se mit avec Léa. Puisque celle-ci comprenait facilement, car ses forces étaient la grammaire et l'orthographe, le travail fut terminé en deux temps, trois mouvements.

Ils passèrent le reste du cours à bavarder. Léonard trouvait Léa vraiment sympathique. Finalement, peut-être qu'il passerait plus de temps à l'extérieur de la maison. Comme ça, il aurait plus de chances de la croiser...

La cloche annonçant la fin des classes se fit entendre. Léonard n'était pas trop déçu de cette première journée. Alors qu'il marchait avec Thomas vers la clôture où étaient attachés les vélos, celui-ci le taquina parce qu'il avait passé l'après-midi avec Léa.

— Léonard, tu ne traînes pas ! Vous en aviez, des choses à vous raconter...

— Mais quoi, elle est gentille ! se défendit Léonard.

— Je sais bien qu'elle l'est. À l'école, nous sommes tous fous d'elle, admit Thomas.

Les deux garçons continuèrent à bavarder. Léonard pourrait-il enfin commencer à apprécier sa nouvelle vie ?... Hélas, pas encore ! Quand il voulut détacher son vélo de la clôture, une mauvaise surprise l'attendait : les pneus de son BMX avaient été crevés ! Léonard trépignait de colère. Au même moment, Traverse et sa bande passèrent par là. Ils étaient tous en BMX.

— Lacourse, as-tu des problèmes ? lança le chef de la bande de voyous.

Il connaissait déjà le nom de famille de Léonard !... Ce n'était pas un bon présage. Traverse rigolait et **fanfaronnait**. Léonard le **foudroya** du regard.

— Il est mauvais, le petit ! s'exclama le caïd.

Toute la bande s'esclaffa.

CHAPITRE 4
L'éditorial

Déjà jeudi ! Des élèves passèrent dans toutes les classes de l'école pour distribuer le journal scolaire. L'article écrit par Léa suscita de vives réactions. Courageuse, la jeune journaliste avait décidé de dénoncer l'intimidation qui sévissait à l'école et dans le quartier. Plusieurs élèves l'admiraient pour son audace. En effet, il fallait que cette situation cesse immédiatement, et la majorité des enfants voulait qu'il y ait un changement. Mais peu d'entre eux osaient s'élever contre les intimidateurs.

Léonard et Thomas décidèrent d'aller féliciter Léa pour son article. Elle était dans une salle de récréation, probablement en train de travailler sur un autre texte.

— J'ai beaucoup aimé ton éditorial, Léa, dit Léonard. Tu es courageuse d'oser aborder ce sujet. Tu risques de te faire des ennemis.

— Tu sauras me protéger..., répliqua-t-elle, une lueur malicieuse dans les yeux.

— Bien oui..., fit Léonard, un peu mal à l'aise.

Au même moment, Traverse et sa bande entrèrent dans la salle. Le vaurien avait un exemplaire du journal à la main. Quand il vit Léa, il s'écria :

— Hé, Léa, tu écris trop ! Tu ne devrais pas !...

Narquois, il chiffonna le journal, puis il le lança dans la poubelle.

— J'espère que tu as compris le message, ajouta-t-il méchamment.

Sur ce, il tourna les talons et il sortit, suivi de près par ses copains.

Léa ne le montra pas, mais elle avait peur. Elle s'attendait bien à ce que les intimidateurs réagissent à son article, mais elle ne pensait pas qu'ils le feraient aussi rapidement… Pour faire croire qu'elle ne se souciait pas des paroles **vindicatives** de Traverse, elle aborda tout de suite le sujet du bal costumé :

— Viendrez-vous au bal ? Je trouve que c'est une idée originale ! Une façon agréable de souligner le début de l'année scolaire. Je porterai un costume de sorcière. Il fait vraiment peur !

— Je ne sais pas trop, dit Léonard. Je n'aime pas vraiment les costumes.

— Et toi, Thomas ? demanda la rouquine.

— Bien sûr ! J'épaterai tout le monde. Mon costume est plutôt original. Mon père m'a aidé à le confectionner, répondit Thomas en prenant un air mystérieux.

CHAPITRE 5
Le bal costumé

Dans sa chambre, Léonard, un peu anxieux, se préparait pour la grande soirée. Debout devant le miroir, il regardait de quoi il avait l'air. En fait, il n'était pas mal du tout! Le garçon afficha un superbe sourire, car il commençait à trouver qu'il avait une allure géniale.

Sans prétention, il se dit que son déguisement serait le plus spectaculaire de la soirée. Il l'avait trouvé dans une des boîtes que son père avait rapportées de l'usine. En en voyant le contenu, il avait bondi de joie. « Chouette! avait-il pensé. Des prototypes de vêtements pour la nouvelle saison de jeux extrêmes! » Son père lui avait dit qu'il pouvait en faire ce qu'il voulait, car la plupart avaient des défauts de fabrication mineurs. Léonard les trouvait tous extraordinaires. Mais un seul lui allait à la perfection. Bleue, ajustée à son corps, munie de différentes protections, la combinaison lui permettait d'être parfaitement à son aise.

Ce soir-là, Léonard éblouirait probablement tout le monde, mais il espérait surtout attirer le regard de Léa... Puis, sans aucun doute, il remporterait le concours du meilleur déguisement. La surprise serait éclatante ! Quand il arriverait dans le gymnase de l'école où aurait lieu le bal costumé, il ferait sûrement tourner les têtes.

Le garçon regarda sa montre. Il lui fallait se dépêcher pour ne pas être en retard. Il prit le plus beau casque qu'il possédait et le mit sur sa tête. Wow ! Quel casque ! Il lui assurait une protection infaillible. Quand il le portait, Léonard se sentait en sécurité. Grâce à lui, il pouvait réaliser des choses extraordinaires à vélo et sur sa planche à roulettes. Toute sa tête était impeccablement protégée, même son visage. Ce casque était unique, car il n'était pas encore en magasin. Ses parents, perfectionnistes à l'extrême, cherchaient encore à y apporter des améliorations. Mais aux yeux de Léonard, il était parfait. Il lui avait assurément épargné plusieurs visites chez le médecin !

Avant de partir, Léonard prit deux yoyos. Jamais il ne sortait de la maison sans ses jouets préférés. C'était plus fort que lui. Pour Léo, le yoyo était beaucoup plus qu'un simple divertissement, c'était une passion, un mode de vie. Et comme tous les grands joueurs, il traînait toujours quelques yoyos avec lui. Quand il ne les avait pas, il avait comme l'impression qu'il lui manquait quelque chose.

Ses parents étaient heureux de le voir porter une de leurs créations pour le bal costumé. Ils le complimentèrent, puis ils lui souhaitèrent une belle soirée. Le garçon devait choisir une bicyclette. Laquelle prendrait-il pour cette soirée spéciale ? Il élimina tout de suite celle dont les pneus avaient été crevés par Traverse, car il n'avait pas encore eu le temps de la réparer. De toute façon, il cherchait une bicyclette plus prestigieuse. Il enfourcha sa préférée, celle avec laquelle il avait remporté une compétition de BMX l'année dernière, et partit pour l'école.

Déjà, il faisait sombre. Afin d'arriver le plus vite possible, Léonard décida de prendre un raccourci en traversant le parc. Près de la fontaine, il vit un groupe de trois adolescents. Tout de suite, il reconnut les frères Lapointe, Tommy et Jordan, deux des « soldats » de Traverse. Ils étaient probablement encore en train de faire un mauvais coup. En effet, en regardant plus attentivement, Léonard vit qu'ils embêtaient une fille qui semblait déguisée en sorcière... Sûrement Léa ! Le sang de Léonard ne fit qu'un tour. Vite, il devait lui venir en aide ! Il balança son vélo dans une petite haie, puis il se mit à courir vers eux.

— Vous avez fini de l'embêter ? leur cria-t-il.

— Oh ! Un superhéros à la rescousse de la demoiselle ! fit Jordan, moqueur, sans reconnaître Léonard.

— Avec ses vêtements moulants, je trouve qu'il a plutôt l'air d'un danseur de ballet, dit Tommy.

— Tu as raison, frérot ! Je vais le faire danser un peu...

Jordan se rua sur Léonard et tenta de le saisir par le collet, mais n'y parvint pas. Léonard était vif, il ne se laissa pas attraper. Jordan essaya de nouveau. Même résultat : il échoua. Léonard se tourna vers Léa et lui cria de s'en aller. Celle-ci s'éloigna un peu, mais décida de rester en retrait pour voir la suite des événements. Léonard encaissa quelques coups, mais resta bien droit sur ses jambes. Il **esquivait** la majorité des attaques de Jordan.

Postée derrière un arbre, Léa regardait le combat. Elle était tellement impressionnée qu'elle sortit son iPod pour filmer son sauveur masqué. À un moment durant le combat, Léonard décida d'utiliser ses yoyos. Pour éloigner ses deux adversaires, il les fit tournoyer dans les airs. Jordan et Tommy reculèrent et se tinrent à distance — les yoyos étaient menaçants. Léonard put reprendre son souffle. Après avoir fait voler les disques de plastique autour de lui pendant quelques secondes, il tenta une attaque. Le premier yoyo qu'il lança vint frapper Tommy à la tête. Assommé, ce dernier s'effondra sur le sol en hurlant. La ficelle du deuxième yoyo s'enroula autour de la jambe de Jordan. En tirant fort, Léonard parvint à faire tomber le voyou dans la fontaine. Quand il en sortit, Jordan était tout mouillé ! Au même moment, une dizaine d'enfants déguisés arrivèrent sur les lieux, attirés par les cris. Quand ils virent Jordan, ils s'esclaffèrent.

— C'est toi qui les as mis dans cet état ? demandèrent-ils en regardant le mystérieux héros.

Léonard ne bougeait plus. Tous étaient pantois devant lui, et il voyait dans leurs yeux une lueur d'admiration. C'est alors qu'il prit une grande décision : il allait devenir un superhéros !

— Oui ! C'est moi ! répondit-il simplement.

Il les salua poliment, puis il s'enfuit à toutes jambes avant que son secret ne soit découvert.

— Mais qui était-ce ? lança un des enfants.

Léa sortit de sa cachette à ce moment-là.

— Je ne sais pas qui c'était. Mais je peux vous montrer ce qu'il a fait...

Les jeunes, admiratifs et surtout stupéfaits, regardèrent sur l'écran du iPod ce qu'avait filmé Léa.

— Nous pourrions présenter cette vidéo à la soirée ! s'exclama une jeune fille.

Plus tard, quand Léonard arriva enfin dans le gymnase de l'école, il s'attendait à voir tout le monde danser. Au contraire, tous étaient immobiles,

les yeux rivés sur l'écran géant qui se trouvait suspendu à l'un des murs de la salle, et ils regardaient les prouesses de celui qu'ils appelaient maintenant Yoyoman.

Thomas s'approcha de Léonard.

— Sans vouloir être méchant, lui dit-il, c'est pas terrible, ton costume de clown! Tu provoqueras plus de frissons que de rires avec ça...

— Merci de ta franchise! répliqua Léonard.

Il était rentré chez lui et s'était changé en vitesse. Il avait pris un vieux costume de clown qu'il avait porté l'année précédente à l'Halloween, puis il s'était maquillé rapidement. Le résultat était assez décevant. Mais, de toute façon, ça n'avait aucune importance.

— Pas grave, c'est l'intention qui compte, ajouta Thomas.

— En tout cas, le tien est vraiment réussi, le complimenta Léonard.

Thomas était habillé en policier. Avec l'aide de son père, il s'était confectionné une voiture en carton, qu'il portait autour de la taille, suspendue à ses épaules grâce à des bretelles. Les phares de la voiture clignotaient, et le véhicule était même doté d'une sirène. Manifestement, Thomas serait le grand gagnant de la soirée... Il avait eu un plaisir fou à travailler sur ce projet. C'était un passionné d'ingénierie.

— Merci ! Mais tu as vu ce gars sur la vidéo ?! fit Thomas. Il est génial ! Il a sauvé Léa.

À ce moment, la fillette était entourée d'un important groupe d'amis. Ceux-ci ne se lassaient pas de l'entendre raconter son expérience.

— Regarde ce qu'il fait avec ses yoyos, reprit Thomas. Il n'est pas normal. C'est un superhéros ! À l'avenir, nous serons en sécurité, s'il continue à tenir Traverse et sa bande en respect comme ça !...

— C'est vrai qu'il se débrouille bien, déclara Léonard.

— Il se débrouille bien ?! Tu rigoles ! C'est un as ! Fantastique !

À l'autre bout du gymnase, Traverse et ses amis regardaient le film avec un tout autre air.

Ils n'aimaient pas du tout ce qu'ils voyaient. Un superhéros ! Ridicule ! Ce Yoyoman ne viendrait pas faire la loi sur leur territoire. Cela faisait plus de deux ans qu'ils pouvaient faire ce qui leur plaisait. Si ce gars décidait de revenir faire tournoyer ses yoyos au parc, il risquait de le regretter...

CHAPITRE 6
Yoyoman fait la une

Le lundi matin, en arrivant à l'école, Léonard eut un choc. La cour s'était transformée ! De nombreux enfants essayaient de jouer avec des yoyos. Au cours de la fin de semaine, ils avaient dû supplier leurs parents d'aller leur en acheter un... Tous essayaient, mais en vain, de réaliser les prouesses du garçon costumé qu'ils avaient vu dans la vidéo tournée par Léa. Enfin, Léonard pourrait jouer au yoyo librement !... Nul besoin de se cacher désormais.

Il était en train d'attacher son vélo à la clôture quand Thomas arriva. Tout content, celui-ci lui montra le yoyo que ses parents venaient de lui offrir.

— En as-tu un ? lui demanda-t-il.

— Non, pas encore ! mentit Léonard. Mes parents n'ont pas eu le temps d'aller m'en acheter un.

— Ce n'est pas grave. J'en ai deux! Je me suis exercé en fin de semaine. Je pourrai te montrer quelques trucs, promit Thomas avec enthousiasme.

— C'est gentil! répondit Léonard en réprimant un sourire.

Alors que les deux garçons se dirigeaient vers la cour, ils croisèrent les voyous. Contre toute attente, Traverse ignora Léonard. Le petit caïd faisait triste mine. Il avait l'air furieux...

— C'est étrange! Il ne t'a même pas regardé, fit Thomas. D'habitude, on a toujours l'impression qu'il veut t'arracher la tête!

— Je pense qu'il a un nouvel ennemi, chuchota Léonard. Plus redoutable que moi.

— Parles-tu du superhéros? souffla Thomas en écarquillant les yeux.

— Bien entendu! répliqua Léonard.

Joyeux, les garçons se joignirent aux autres enfants qui jouaient dans la cour de récréation. Plusieurs s'amusaient avec leurs yoyos, échangeant quelques trucs qu'ils avaient appris au cours du week-end. Léonard fit tournoyer habilement le yoyo que lui avait prêté Thomas, mais sans montrer trop de **dextérité**. Malgré cela, ses amis remarquèrent la fluidité de ses mouvements.

— As-tu déjà joué au yoyo ? l'interrogea Thomas, étonné.

— J'en ai déjà eu un quand j'étais petit, répondit Léonard.

— Je crois que tu seras notre instructeur ! lança son ami en le regardant avec admiration.

— Je connais seulement quelques figures. Le *creeper*, par exemple.

— Hier, j'ai passé tout l'après-midi à essayer de le faire, mais je n'y suis pas arrivé, avoua Thomas, **penaud**.

La cloche sonna, et les enfants rangèrent leurs yoyos. Ce matin-là, ils étaient tous excités et bruyants. Normalement, la majorité des élèves respectait la règle du silence lorsqu'ils entraient dans l'école. Mais aujourd'hui, ils étaient déchaînés. Il n'y en avait que pour le nouveau superhéros.

Quand Mme Marie arriva devant la classe, elle dut élever la voix. Mais quelle mouche les avait tous piqués? se demandait-elle en les observant, **perplexe**. Sur un ton ferme, elle leur demanda des explications sur-le-champ. Mais tous parlaient en même temps, créant ainsi une insupportable **cacophonie**. La pauvre Mme Marie comprenait de moins en moins... Elle exigea de nouveau le silence, mais cette fois en faisant tinter la clochette qui se trouvait sur son bureau. Quand le calme revint, Léa leva la main pour parler. L'enseignante lui donna la parole. La jeune fille se leva, puis sortit une feuille de papier de son sac d'école. D'une voix tremblante d'excitation, elle expliqua :

— Vendredi soir, un superhéros est venu me secourir alors que des grands de sixième m'embêtaient dans le parc! Madame Marie, hier, à la maison, j'ai écrit ce texte. Lisez-le et vous comprendrez. Je tiens à ce qu'il soit publié dans le journal. Quelque chose d'extraordinaire s'est produit! Si, après la lecture de mon texte, vous avez encore des doutes, je peux vous donner des preuves. J'ai tout filmé !

Fièrement, Léa remit l'article à son enseignante. Cette dernière ne semblait pas douter de son sérieux. Tout de suite, elle lut avec grand intérêt ce qu'avait écrit son élève.

— Wow ! s'écria-t-elle. Mais Léa, quelle chance inouïe ! C'est formidable ! J'ai toujours rêvé d'être sauvée par un superhéros... Mes enfants, vous pourrez lire le texte de votre camarade dans le prochain numéro du journal !

Les enfants supplièrent leur enseignante.

— Lisez-le-nous tout de suite ! Nous serons sages toute la semaine...

— Non, il faudra patienter jusqu'à jeudi, répondit Mme Marie en souriant.

Le journal de l'école était d'ordinaire distribué par quelques élèves le jeudi matin. Mais parfois il pouvait y avoir des retards en raison de certains imprévus, comme les pannes incessantes du photocopieur de l'école...

Les élèves attendirent donc avec impatience la parution du nouveau journal. Tous, même Traverse et sa bande, voulaient lire ce qu'avait écrit Léa. Afin de répondre à la demande, les responsables du journal prévirent le coup : ils triplèrent le tirage. Le jeudi matin, tout de suite après la récréation, les élèves de l'équipe du journal circulèrent dans l'école pour en faire la distribution. Jamais le journal n'avait été aussi beau. Sur la première page, la photo en couleurs du superhéros était impressionnante. On le voyait très bien en pleine action, en train de faire tourner ses yoyos. L'article de

Léa était passionnant. L'énigmatique personnage qu'elle décrivait semblait fabuleux... Et comme les enfants qui étaient présents au bal costumé, elle l'avait surnommé Yoyoman. Elle concluait son article en posant la question suivante : « Quand le reverra-t-on ? »

En effet, le reverrait-on ?...

CHAPITRE 7
Taylor

Quelle semaine ! Le vendredi, après l'école, Thomas demanda à Léonard s'il voulait aller faire du vélo avec lui au parc. Léonard déclina l'offre, prétextant que ses parents lui avaient demandé de ranger sa chambre. En réalité, il se sentait bouillir. On aurait dit que son corps était sur le point d'exploser. Aussitôt qu'il mit les pieds chez lui, il descendit au sous-sol.

Léonard déposa son iPod sur le poste d'écoute, car il aimait s'entraîner en écoutant de la musique, puis il prit quelques yoyos. Voulant s'exercer à faire des trucs complètement inusités avec ceux-ci, il sortit les cordes que son oncle André avait fabriquées pour lui. Quand il jouait, il utilisait le plus souvent des cordes en polyester, ses préférées. Souples et douces, elles étaient parfaites ! Elles lui permettaient de faire des trucs d'une grande complexité. Il lui arrivait encore de jouer avec des cordes en coton pour se rappeler de ses débuts, mais pas trop souvent, car elles lui brûlaient les doigts. Depuis peu, il y avait les autres, en kevlar ou en nylon, mais elles ne rivalisaient pas avec celles en polyester. Et maintenant, il pouvait jouer avec celles qu'avait confectionnées son oncle. Ces dernières étaient uniques. Léonard se plaisait à penser qu'il était le seul joueur de yoyo du monde entier à les utiliser.

Propriétaire du plus grand centre d'escalade au Canada, André Lacourse était un vrai passionné de la grimpe. Un jour, Léonard lui avait demandé s'il pouvait créer une corde de yoyo extrêmement résistante et souple. Le garçon lui avait expliqué *grosso modo* qu'il voulait une corde qui lui permettrait d'imiter Spider-Man. « Léo, c'est complètement fou, mais tellement génial », lui avait lancé son oncle. Bref, le défi était de taille ! André, toutefois, était un expert. Les cordes, il connaissait ça.

Le spécialiste de l'escalade parvint à créer une corde parfaite pour son neveu. Elle était beaucoup plus longue que celle qu'utilisaient la plupart des joueurs de yoyo, et légèrement plus épaisse. Léonard l'aimait bien. Certes, elle n'était pas aussi souple que la corde en polyester, mais elle était d'une résistance phénoménale. Léonard en ignorait les composantes, car son oncle avait refusé de lui révéler ses secrets. « C'est comme la recette des tartes aux fraises de ta grand-mère, tu ne la connaîtras jamais », lui avait-il dit dans un éclat de rire.

Après s'être lancé dans une tempête d'acrobaties avec ses yoyos, il se sentit plus calme et décida de faire quelques recherches sur Internet avec son ordinateur portable. Il voulait trouver les numéros de téléphone des intimidateurs. Puisqu'il connaissait leur nom de famille, le travail se fit sans trop de peine. Ensuite, il recommença à faire des vrilles sur les rampes, à grimper sur les murs et à bondir sur son trampoline, s'exerçant ainsi pendant plus de trois heures.

Quand il s'arrêta enfin, la pénombre était déjà tombée. Léonard prit son sac à dos. Il y fourra son costume, sa caméra miniature et quelques yoyos, les meilleurs, bien sûr. Puis il sortit par la fenêtre de sa chambre. Il enfourcha un de ses vélos et partit à l'aventure. Il roula pendant un moment dans le quartier à la recherche de la bande de Traverse.

En tournant le coin d'une rue, il tomba plutôt sur... Léa! La fillette, tenant son chien en laisse, se baladait tranquillement. De nouveau, le cœur du garçon s'emballa. Chaque fois qu'il voyait Léa, de vives émotions l'envahissaient.

— Bonsoir, Léa! Joli chien! lui dit-il, essayant d'engager la conversation.

En effet, l'animal était beau. Toutefois, quand il vit Léonard, il se mit à japper, à grogner et à bondir dans tous les sens.

— Merci! répondit Léa. N'aie pas peur. Il n'est pas méchant, il est juste un peu nerveux. N'est-ce pas, Tonnerre?

Les deux amis parlèrent un bon moment. Léonard aimait se retrouver seul avec Léa. Il la trouvait si belle et si intelligente... Enfin, ils se quittèrent, car Léa devait rentrer chez elle.

Léonard décida alors d'aller faire un tour au parc, car souvent les voyous y étaient. Effectivement, il vit Taylor, un bâton à la main, en train de cogner sur tous les modules de jeu qui avaient le malheur de se trouver à sa portée... D'autres enfants, dont Delphine, une amie de Léa, restaient en retrait et le regardaient faire, mais n'osaient pas intervenir. Finalement, l'un d'entre eux s'avança vers Taylor et lui dit :

— Arrête ! Sincèrement, pourquoi fais-tu ça ? Tout le monde aime les nouveaux modules de jeu, ici...

— C'est pour les bébés ! répondit Taylor sèchement.

Il s'approcha de celui qui avait osé l'affronter et le poussa violemment. L'autre trébucha et faillit s'étaler par terre.

Caché derrière un bosquet, Léonard n'avait rien manqué de la scène. À toute vitesse, il revêtit son costume, puis il plaça sa caméra de façon à ce qu'elle puisse capter tout ce qu'il s'apprêtait à faire. Pour déstabiliser son adversaire, il décida de faire une entrée remarquée. Puisque les rampes n'étaient pas très loin de l'endroit où les enfants s'étaient regroupés, il s'élança et fit quelques culbutes spectaculaires avec son vélo. Les enfants l'aperçurent et, éblouis, ils se mirent à pousser des cris enthousiastes. Taylor, lui-même impressionné, avait cessé de frapper sur les modules de jeu. Soudain, il se sentit défaillir à la pensée que le nouveau superhéros était peut-être justement là pour mettre un terme à ses méfaits ! Paniqué, il tourna les talons et s'élança pour s'enfuir. Trop tard !

Celui qu'on appelait maintenant Yoyoman bondit devant lui. Taylor brandit son bâton afin d'engager la bagarre. Mais il le perdit rapidement, car Yoyoman parvint à le faire tomber de ses mains en lançant un yoyo dessus avec force. Taylor était maintenant désarmé. Que pouvait-il faire pour se défendre, pour ne pas perdre la face devant les spectateurs ? Il se rua sur son adversaire pour le frapper, mais il n'arriva pas à le coincer. Yoyoman était trop rapide. Il lança de nouveau un de ses yoyos et, cette fois, la ficelle vint s'enrouler autour d'un des mâts du grand bateau qui se trouvait au milieu de l'aire de jeu. Suspendu dans les airs, le superhéros se balança ainsi un moment, au grand plaisir de ses admirateurs, puis il se laissa choir sur Taylor. Assommé, le voyou ne se releva pas. Sous un tonnerre d'applaudissements, Yoyoman termina sa mission en ligotant le voyou avec les ficelles de ses yoyos. Ensuite, il sortit son téléphone cellulaire et appela les parents de Taylor.

— Bonsoir ! Mon nom est Yoyoman, fit-il d'une voix grave. Ce soir, j'ai surpris votre fils en train de faire du vandalisme au parc. Vous devriez venir le chercher immédiatement. Et à l'avenir, vous auriez intérêt à le surveiller de plus près...

Avant de partir, à la demande des enfants présents, Yoyoman alla faire quelques tours sur la rampe avec son vélo. Après avoir exécuté différentes pirouettes inusitées, il récupéra sa caméra et rentra chez lui, tout heureux. Cette soirée avait été magnifique ! Il s'en promettait plusieurs autres comme celle-là...

Le lundi matin, Léonard gara son BMX au même endroit qu'à l'accoutumée. La bicyclette de Thomas était déjà attachée à la clôture. Le vélo que Léonard avait aujourd'hui n'était pas le même que celui qu'il avait utilisé durant sa brillante soirée. Maintenant, il devait penser à tous les détails et prendre tous les moyens pour éviter d'être démasqué.

Quand Léonard entra dans la cour d'école, il tomba face à face avec Taylor. Celui-ci était seul et avait la mine basse. Quelques instants plus tard, Thomas se rua sur Léonard.

— Es-tu au courant? Il est revenu! lui cria-t-il.

— Mais de qui parles-tu? fit Léonard, l'air faussement innocent.

— Léonard, vis-tu sur une autre planète? De Yoyoman, bien entendu! Il a donné toute une leçon à Taylor, continua Thomas, excité.

— Je n'en ai pas entendu parler.

Au même moment, Léa arriva, radieuse comme toujours. Thomas ouvrit la bouche pour lui raconter la nouvelle, mais tout de suite elle l'arrêta.

— Je sais! Delphine et ses amis ont tout vu. Vendredi soir dernier, ils auraient été témoins d'un autre exploit de Yoyoman...

— Pourquoi dis-tu « auraient été »? demanda Thomas, un peu fâché de voir que Léa semblait douter de la véracité des événements.

— Car tout cela reste à confirmer! répliqua fermement la fillette. Les témoignages peuvent être faux, ou simplement déformés...

— On reconnaît bien la journaliste, déclara Léonard en souriant à Léa.

— En tout cas, moi, je suis sûr qu'ils ne mentent pas, dit Thomas. Taylor tourne en rond depuis tout à l'heure. Il n'a pas l'air dans son assiette. Il ne s'est même pas approché de Traverse !

— Oui, d'après ce qu'on m'a dit, ses parents lui auraient interdit de jouer avec la bande, expliqua Léa. Ils auraient piqué une crise épouvantable et décidé de le punir pour plusieurs semaines... Ils ignoraient tout ce qu'il faisait.

Quand la cloche sonna, Léonard fit mine d'aller aux toilettes avant de se rendre en classe. Subrepticement, il glissa une enveloppe destinée à Léa dans la boîte aux lettres qui était réservée à la correspondance des élèves. Sur l'enveloppe, il avait dessiné un logo qu'il venait juste de créer, le logo de Yoyoman. Plus tard, dans la matinée, un peu avant l'heure du dîner, les élèves désignés procédèrent à la distribution du courrier. Quand Léa reçut la lettre qui lui était adressée, ses yeux bleus s'écarquillèrent.

— Est-ce que ça va, Léa ? s'enquit Léonard. Tu fais une de ces têtes !

Léa lui montra l'enveloppe.

— Regarde le logo en haut ! Un yoyo avec un Y à l'intérieur ! C'est sûr, « il » m'envoie quelque chose.

— Vite ! Ouvre ! la pressa Léonard.

Léa se dépêcha de décacheter l'enveloppe. Elle y glissa sa main droite et en sortit une clé USB.

— Léonard, que pourrait-elle contenir ? murmura-t-elle, songeuse.

— Je n'en sais rien, mentit le garçon.

— Il veut peut-être me transmettre de l'information... Ce midi, j'irai au local d'informatique. M'accompagneras-tu ? fit-elle en levant les yeux vers son ami.

Ce dernier fit semblant d'hésiter :

— J'ai dit à Thomas que nous jouerions ensemble...

— Mais dis-lui de venir, alors, répliqua la fillette.

— C'est d'accord, finit par dire Léonard.

Ce midi-là, ils mangèrent en deux temps, trois mouvements. Quand ils eurent terminé d'engloutir leur sandwich, les trois copains se rendirent rapidement au local d'informatique. Léa et Thomas furent stupéfaits quand ils virent les prouesses de Yoyoman sur l'écran d'un des ordinateurs. Ce qu'avait fait le superhéros pour « neutraliser » Taylor leur semblait sidérant. Léonard faisait semblant d'être impressionné par ce qu'il voyait.

— Ce sont des preuves irréfutables ! s'exclama enfin Léa. J'en ai suffisamment pour écrire un autre article !

CHAPITRE 8
Les frères Lapointe

Jeudi matin, les élèves reçurent un nouveau numéro du journal. Encore une fois, l'article de Léa fit parler tout le monde. Le nom du superhéros était sur toutes les lèvres. Étrangement, les enfants se sentaient plus en confiance. C'était probablement parce qu'ils commençaient à réaliser que, désormais, un garçon aux capacités surprenantes veillait sur eux...

Quand vint le vendredi soir, Léonard fit comme la semaine précédente. Après un entraînement intensif d'environ trois heures, il sortit par la fenêtre de sa chambre. Puisqu'il n'y avait aucune activité suspecte dans les rues, il se rendit au parc. Par chance, il arriva au bon moment. Près du grand mur d'escalade, les frères Lapointe se moquaient de deux garçons, Tim et Sacha, des élèves de l'école avec qui Léonard avait joué au yoyo au cours de la semaine.

— On ne vous a rien fait ! Laissez-nous tranquilles, protestaient les gamins. On veut seulement s'amuser sur le mur d'escalade...

— Si vous voulez grimper, vous devrez nous donner quelque chose.

Jordan fixa Sacha avec des yeux malicieux.

— Toi, je prendrais bien ta casquette. Une Lacourse ! Seuls les enfants qui ont du talent dans les sports extrêmes peuvent porter des vêtements Lacourse !

Tandis que Jordan tentait d'effrayer Sacha, Tommy se planta devant Tim.

— Est-elle à toi, cette planche à roulettes ? Je la prendrais bien, fit-il, **goguenard**.

Léonard bouillonnait de colère. Comme ils étaient arrogants !

En cachette, il se costuma rapidement, puis, comme il l'avait fait une semaine plus tôt, il posa sa caméra miniature de façon à ce qu'elle capte tout ce qui allait se passer. Il enfourcha son vélo et il se mit à pédaler à toute allure. Il arriva devant le mur d'escalade au moment où Tommy s'emparait de la planche à roulettes de Tim. Quand ce dernier et Sacha virent Yoyoman, ils poussèrent un soupir de soulagement.

Le superhéros s'activa sur-le-champ. Vif comme l'éclair, il lança un de ses yoyos directement sur la main de Tommy. Son lancer était si puissant que ce dernier lâcha la planche. Sacha s'empressa de la récupérer. Tommy agitait sa main, qui lui faisait mal. Il **fulminait**.

— Retourne d'où tu viens ! s'écria-t-il. Les justiciers ne sont pas les bienvenus ici. Mon frère et moi, nous allons te réduire en pièces ! Le prochain article de notre journaliste à l'école parlera de notre bravoure et de ta lamentable chute !...

Les yeux pleins de rage, les deux frères se jetèrent sur Yoyoman. Mais ils ne réussirent pas à le saisir, car le superhéros fit une culbute arrière et vint s'agripper habilement au mur d'escalade. Au grand dam de ses adversaires, il en commença l'ascension. La facilité avec laquelle il grimpait était déconcertante.

Les deux voyous se lancèrent à sa poursuite, plus déterminés que jamais. Ils n'avaient peut-être pas l'agilité de Yoyoman, mais ils grimpaient quand même assez rapidement. Quand le superhéros atteignit le faîte du mur, il se dressa, bien campé. Lorsque ses assaillants furent tout près, il projeta un yoyo dans les airs. La ficelle de celui-ci vint s'enrouler autour d'une branche d'arbre. À la surprise des deux vauriens, Yoyoman se lança témérairement dans le vide mais, grâce à la ficelle de son yoyo, il demeura dans les airs et se balança sous le regard ébahi de Tim et de Sacha.

Tandis que leur ennemi semblait s'amuser follement, les frères Lapointe, maintenant au sommet de la paroi, pestaient contre lui. Quand ils le virent lâcher la ficelle à laquelle il était suspendu, ils poussèrent des cris d'étonnement. Mais qu'était-il en train de faire ? Pendant quelques secondes, Yoyoman sembla flotter dans les airs, puis il fit une pirouette sur le trampoline qui se trouvait à quelques mètres de là. Après quelques bonds acrobatiques, le superhéros exécuta une vrille époustouflante et vint atterrir à la perfection sur le pavé.

Jordan, par défi, tenta de l'imiter. Il se jeta dans le vide, puis, plus par chance que par habileté, il parvint à attraper la ficelle qui pendait toujours à la branche de l'arbre. Mais, malheureusement pour lui, il ne se balança pas longtemps : la branche se cassa sous son poids. La chute fut brutale. Il tomba sur le dos et ne se releva pas.

Tommy était sous le choc. Du haut du mur d'escalade, il se mit à **invectiver** Yoyoman. De nouveau, le superhéros s'élança pour gravir le mur. À mi-parcours, il propulsa un autre yoyo en direction de Tommy, qui se trouvait maintenant au-dessus de lui. Cette fois, l'objet percuta violemment la cheville du voyou. Ébranlé, celui-ci perdit l'équilibre. Les yeux exorbités de peur, il se sentit basculer dans le vide mais il eut de la chance, car le superhéros lança à toute vitesse un yoyo dont la ficelle vint s'enrouler autour de ses chevilles. Grâce à cette habile manœuvre, Yoyoman put stopper la chute de son adversaire. Les muscles contractés par l'effort, il parvint à attacher la ficelle au mur d'escalade. Tommy, la tête à l'envers, lui hurla de le libérer sur-le-champ.

Yoyoman prit son téléphone portable et donna un coup de fil aux parents des frères Lapointe. Ensuite, après avoir salué Sacha et Tim, il retourna chez lui, le cœur léger, satisfait du travail qu'il venait d'accomplir. Quelques minutes plus tard, le père et la mère de Jordan et Tommy arrivèrent au parc, affolés. Ils furent toutefois soulagés quand ils constatèrent que leurs fils n'étaient pas blessés.

Sur le chemin du retour, ils les questionnèrent d'un ton pressant. Les deux garçons essayèrent, bien entendu, de **bredouiller** des explications confuses afin de se tirer d'affaire mais, ce soir-là, ils échouèrent lamentablement... Les parents désiraient connaître la vérité. Ils étaient dans une colère noire, mais surtout déçus d'apprendre que leurs fils s'amusaient à terroriser d'autres enfants...

Les trois compagnons se tenaient tout près de l'entrée de la cour d'école. Thomas et Léa étaient surexcités. Thomas parce qu'il rêvait au superhéros ; Léa parce qu'elle souhaitait vivement recevoir une autre enveloppe de Yoyoman ce jour-là... L'un et l'autre parlaient sans arrêt. Leur enthousiasme était si débordant que le pauvre Léonard n'arrivait même pas à placer un mot. Quel lundi matin !

Il devenait de plus en plus évident que les professeurs en auraient plein les bras... La frénésie était à son comble. De nouveau, la rumeur s'était répandue : Yoyoman venait de réaliser un autre coup d'éclat ! Tout près de la grande glissade, Sacha et Tim étaient entourés d'une trentaine d'élèves. Tout le monde voulait savoir ce qu'avait fait le superhéros.

Plus loin, dans l'autre aire de jeu, des enfants jouaient au yoyo. Déjà, certains d'entre eux commençaient à maîtriser quelques figures élémentaires. Léonard s'en réjouissait. Bientôt, il pourrait élever son propre niveau de jeu d'un cran ou deux, sans trop attirer l'attention.

Léonard, Thomas et Léa se figèrent quand les frères Lapointe entrèrent dans la cour, quelques minutes avant le début des cours. Contrairement à l'accoutumée, ils étaient accompagnés de leurs parents. Normalement, lorsqu'ils arrivaient quelque part, ils affichaient toujours une mine arrogante. Aujourd'hui, ils avaient la tête basse et un air piteux. Quand Traverse s'approcha d'eux, leurs parents s'interposèrent entre lui et leurs fils. Les deux frères comprirent ce qu'ils devaient faire.

— C'est terminé, Traverse! Nous ne pouvons plus jouer avec toi, firent-ils en évitant de croiser son regard.

Traverse tourna les talons, furieux. Ce Yoyoman commençait à l'embêter sérieusement!

— Traverse perd des effectifs, dit Thomas. Bientôt, il sera complètement isolé.

— Tout ça grâce à mon superhéros! s'exclama Léa. J'adore ce garçon...

À ces paroles, Léonard sentit son cœur s'emballer. Il était en train de perdre tous ses moyens... Il regardait celle qu'il aimait droit dans les yeux, incapable de détourner le regard de son adorable visage.

— Léonard, ça va? lui demanda-t-elle. On croirait que tu es sur le point de t'évanouir.

— Non, non! Je suis juste un peu fatigué ce matin. Je me suis couché tard hier soir. Je me suis exercé au yoyo, répondit Léonard en rougissant légèrement.

— Montre-nous donc ce que tu sais faire, lança Thomas, intéressé.

Léonard sortit son yoyo, puis il fit le « tour du monde », une des premières figures qu'il était parvenu à exécuter quand il avait commencé à jouer, à l'âge de cinq ans. Afin d'éviter les questions, il commit volontairement une erreur en manipulant son yoyo.

— Tu es pas mal ! s'exclama Léa. Un jour, peut-être, tu parviendras à jouer comme Yoyoman...

— Peut-être, répondit Léonard avec un sourire modeste.

CHAPITRE 9
Colin et Vanessa

Léonard et Thomas se sentaient légers. C'était vendredi, la semaine était terminée. Youpi ! Deux journées pour s'amuser ! Léonard détacha son vélo, tandis que Thomas tentait désespérément de réaliser une figure avec son yoyo.

— Veux-tu venir jouer chez moi ce soir ? demanda Thomas. Tu pourrais me montrer quelques trucs.

— Pas ce soir. Mes parents veulent que j'étudie, répondit Léonard. Ils veulent que j'améliore mes notes. Peut-être demain après-midi.

— Des devoirs le vendredi ? Tes parents sont sévères !

— Plutôt !

En fait, les parents de Léonard n'étaient pas très stricts sur la discipline. Léonard était sage et obéissant. Sa mère et son père lui faisaient confiance. Et jusque-là, ils n'avaient jamais vraiment eu à exercer de pression sur lui pour qu'il fasse ce qu'il avait à faire.

Soudain, Traverse, Colin et Vanessa arrivèrent près de la clôture où se trouvaient encore les deux amis. Thomas se raidit, craintif. Comme tous les enfants, il n'aimait pas se retrouver à proximité des intimidateurs.

Léonard et lui ne purent s'empêcher d'écouter une partie de la conversation des trois voyous, même si ceux-ci avaient baissé la voix en les voyant.

— Traverse, viens-tu au parc ce soir? demanda Vanessa.

— Non, j'ai rendez-vous chez la psychologue. Une recommandation de la directrice! Ne t'inquiète pas, je vais la baratiner pendant une heure, l'assura Traverse en ricanant.

— C'est dommage! fit Colin. Vanessa et moi, on avait le goût de faire quelques mauvais coups...

— Allez-y sans moi! Je vous fais confiance, répliqua Traverse. Vous avez suffisamment d'imagination!

Léonard, attentif, fronçait les sourcils. Qu'étaient-ils en train de mijoter, ces trois-là ? Traverse l'aperçut et comprit que le nouveau les écoutait.

— Hé, Lacourse, as-tu un problème ?! Ne fais pas le curieux ! Ça pourrait t'attirer de sérieux ennuis, lui cria-t-il d'une voix furieuse.

Le torse bombé, il s'approcha de Thomas et lui prit violemment son yoyo. Il s'apprêtait à le lancer dans la poubelle quand subitement, d'un geste vif, Léonard le lui retira des mains. Les deux garçons se regardèrent intensément. Du feu semblait jaillir de leurs yeux. Traverse soupira, puis finit par baisser le regard.

— Lacourse, ne joue pas à ce petit jeu avec moi..., commença-t-il, menaçant.

Mais Léonard resta **stoïque**. Quand enfin Traverse, Colin et Vanessa partirent, Thomas faillit s'écrouler.

— Léonard ! Es-tu conscient de ce que tu as fait ? Tu as osé le défier ! On dirait que tu es inspiré par Yoyoman... En tout cas, merci ! Ça m'aurait dégoûté d'aller chercher mon yoyo dans la poubelle. Léonard Lacourse, tu es vraiment spécial ! Je suis content de te connaître.

— Thomas Vadeboncœur, moi aussi, je suis content que tu sois mon ami.

Dès que la nuit fut tombée, ce soir-là encore, Léonard sortit par la fenêtre de sa chambre. Pour faire changement, il décida d'utiliser une planche à roulettes comme moyen de locomotion. Personne, encore, ne savait que Yoyoman était un as de la planche !

Habituellement, Léonard faisait une tournée dans les rues avant d'aller au parc. Mais, cette fois, il ne traîna pas. Il se rendit directement là où l'action devait se dérouler. Par chance, il arriva juste au bon moment. Colin et Vanessa avaient déjà commencé leurs méfaits. L'adolescente était au sommet du module qu'on appelait « l'araignée », une tour formée de cordes entrecroisées. À son extrémité, elle avait attaché une fillette. La petite semblait terrorisée. Elle ne criait pas, mais son visage exprimait la panique. Vanessa, cruelle, se moquait d'elle et s'amusait à l'effrayer encore davantage. Au pied de la tour, Colin s'esclaffait parce qu'il était en train d'enterrer un autre enfant sous une montagne de copeaux de bois.

— Arrête! On ne vous a rien fait! On jouait au ballon-poire, plaidaient les deux gamins. Laissez-nous! On ne le dira à personne...

Léonard revêtit promptement son costume, plaça la caméra et se hâta d'intervenir. Debout sur sa planche, il bondit dans les airs. Puis, comme par magie, alors qu'il tournait comme une toupie dans le ciel, il balança un de ses yoyos en direction de Colin. La ficelle du projectile s'enroula autour du bras droit de ce dernier. Yoyoman, en tirant sur la ficelle, parvint à le traîner jusqu'au premier lampadaire. Avec l'agilité d'une araignée, il commença à l'escalader. Lorsqu'il fut au sommet, il se laissa tomber dans le vide. Et hop! Colin fut suspendu dans les airs. Le bras bien tendu vers le haut, les pieds dans le vide, il ne pouvait plus menacer personne ! Et, manifestement, il n'était pas près de se sortir de cette fâcheuse position...

Ensuite, Yoyoman se chargea de Vanessa. Encore juchée au sommet de la toile d'araignée, la jeune fille était plutôt craintive. Qu'allait-il faire d'elle ? À toute vitesse, elle descendit, déterminée à prendre la poudre d'escampette. Elle se mit à courir à toutes jambes, mais, curieusement, le superhéros ne la poursuivait pas. Il restait immobile.

« Chouette ! se dit Vanessa. Il me laisse filer. »

Mais elle se trompait. Yoyoman savait très bien ce qu'il faisait. Il dégaina un autre yoyo et le lança vers elle. Se croyant hors d'atteinte, l'adolescente eut la surprise de ressentir soudain un violent coup à l'arrière du crâne. Elle s'écroula par terre, assommée. Léonard utilisa alors la structure en métal qui supportait les ballons-poires pour y ligoter Vanessa. Finalement, il prit son téléphone cellulaire et il appela les parents des deux complices.

Yoyoman alla libérer la prisonnière qui se trouvait encore au sommet de la tour. La gamine était soulagée.

Il s'avéra que les deux enfants que le super-héros avait libérés étaient des amis de Léa, Étienne et Marion. Reconnaissants, ils ne cessaient de le remercier. Marion remarqua que Yoyoman s'était blessé. Son costume était déchiré à l'épaule droite.

— Je pense que tu saignes ! fit-elle d'une voix inquiète.

Yoyoman jeta un regard sur son épaule. Il ne sentait rien, probablement en raison de la forte poussée d'adrénaline qu'il avait eue, mais, en effet, il saignait un peu. Il s'était probablement coupé sur le lampadaire au moment où il s'était lancé dans le vide.

— Ça arrive ! répondit-il en haussant les épaules.

Avant de quitter Marion et Étienne, il leur dit :

— Bonne fin de semaine ! Et surtout, soyez prudents !...

CHAPITRE 10
L'enlèvement de Léa

Les élèves de l'école du Tournesol recevaient toujours le journal le jeudi. Mais parce que le photocopieur était en panne, ils ne purent le lire, cette semaine-là, que le lendemain. Tous étaient emballés par le nouvel article de Léa. Le film qu'elle avait reçu le lundi lui avait permis d'écrire un autre texte passionnant. Le coup du lampadaire provoqua des éclats de rire chez les lecteurs.

— Léonard, as-tu aimé mon texte? demanda Léa. Ne trouves-tu pas que Yoyoman est de plus en plus spectaculaire dans ses actes de bravoure?

— Sûrement! répondit le garçon. Mais, sincèrement, je préfère l'article où on apprend à te connaître. C'est vrai que tu t'occupes bien de ton chien, comme tu l'as écrit. Mais il n'a pas l'air commode.

— Merci! C'est gentil! Tu viens à mon anniversaire demain? J'ai préparé une tonne d'activités amusantes.

— Je ne manquerais cela pour rien au monde, l'assura Léonard.

Soudain, il sentit une petite douleur à l'épaule. Quelque temps auparavant, sa mère, qui avait l'habitude de soigner les bobos de tout le monde à la maison, lui avait donné une petite leçon sur les premiers soins alors qu'il s'était fait une écorchure. Elle lui avait dit entre autres qu'il était important de changer le pansement régulièrement pour faciliter la guérison. Là, Léonard voulait tellement guérir rapidement qu'il changeait le pansement sur son épaule toutes les trois heures... C'était un peu trop ! Il leva la main et demanda à Mme Marie l'autorisation d'aller aux toilettes.

— Ça va pour cette fois-ci, Léonard, répondit l'enseignante. Mais n'en fais pas une habitude ! Cette semaine, tu es sorti à plusieurs reprises pendant les cours.

En effet, tout au long de la semaine, Léonard avait demandé des permissions spéciales à Mme Marie. Il feignait des maux de ventre. Mais, en réalité, il allait changer son pansement.

Quand il arriva aux toilettes, il se réfugia dans un cabinet. Alors qu'il sortait le nouveau pansement de son emballage, des élèves entrèrent. Les voix qu'il entendit lui étaient familières. Zut! Benoît et Traverse s'étaient probablement donné rendez-vous ici pour discuter d'un autre coup pendable... Ne voulant pas qu'ils sachent qu'il était là, Léonard grimpa sur la cuvette des toilettes.

— Benoît, mon ami, est-ce que tu ne trouves pas ça bizarre, toi, que Léa en sache autant? Cette sacrée journaliste n'est pas nette! Il faut la faire parler.

— Comment pourrait-on lui soutirer de l'information? s'enquit Benoît.

— J'ai un plan, déclara Traverse avec assurance. Cette fille aime les superhéros. Ce soir, on se déguise, puis on la kidnappe. Elle parlera, tu en as ma parole.

— Oui, mais comment allons-nous faire? l'interrogea son ami.

— Elle a écrit dans le journal qu'elle fait toujours une grande promenade avec son chien le vendredi soir. On la coincera pendant qu'elle se baladera avec son clébard, fit Traverse en ricanant.

— Génial ! s'exclama Benoît.

— Dans ce texte, elle nous apprend aussi que c'est son anniversaire samedi. On lui donnera son cadeau avant le temps...

Les voyous sortirent des toilettes en riant. Mais Léonard ne les laisserait pas faire.

Après l'école, Thomas l'invita à jouer avec lui plus tard. Léonard déclina l'invitation. Mais cette fois-ci, il n'eut pas à inventer un prétexte : ses parents attendaient des visiteurs, des collaborateurs importants avec lesquels ils travaillaient depuis de longues années. Ceux-ci venaient manger à la maison, et ils souhaitaient vivement voir Léonard tester de nouveaux produits qu'ils avaient l'intention de commercialiser bientôt.

— Dans ce cas, on se verra demain à la fête de Léa, dit Thomas.

— Tu peux en être sûr !

Léonard, au sous-sol, essaya tout ce que les amis de ses parents lui montrèrent : des planches à roulettes, des patins, des vélos, etc. Enfin, épuisé, il remonta au rez-de-chaussée avec les adultes pour boire un jus. Bientôt, il serait huit heures. Le garçon devait trouver un moyen de s'esquiver en douce. Mais les collaborateurs de son père et de sa mère étaient si enchantés par ses démonstrations qu'ils n'arrêtaient pas de le questionner. Ne voulant pas paraître impoli, il répondait à toutes leurs interrogations.

L'heure avançait. Vite, il fallait que Léonard se libère... Enfin, il réussit à faire comprendre à ses parents et à leurs amis qu'il était harassé de fatigue et qu'il souhaitait ardemment aller se coucher. Lorsqu'il retourna au sous-sol, il était passé huit heures. Zut ! Arriverait-il trop tard ? Rapidement, il prit son sac, puis il sortit par la fenêtre. Il parcourut la rue en pédalant avec force. Aucune trace de son amie! Inquiet, il alla sonner chez elle. Ce fut le père de Léa qui vint ouvrir la porte.

— Léa n'est pas ici. Elle est partie promener Tonnerre, expliqua-t-il. Elle devrait arriver d'une minute à l'autre. Tu peux l'attendre ici.

— C'est gentil, mais je vais aller à sa rencontre.

Il était arrivé trop tard! Où avaient-ils pu l'amener? Léonard réfléchit un instant. Une idée lui vint en tête: à leur repaire, bien sûr! Il n'y était jamais allé, mais Thomas lui avait parlé du vieux hangar où, autrefois, les jeunes allaient faire de la planche à roulettes et du vélo.

Léonard pédala comme un fou jusqu'au hangar désaffecté. Il avait vu juste. Comme il s'y attendait, ils étaient tous là: Traverse, Benoît et Léa. Tonnerre était attaché par sa laisse à une rampe. En colère, il grognait, jappait et bondissait. Les deux voyous étaient en train de menacer celle qu'ils soupçon- naient d'être de mèche avec Yoyoman. Fidèles à leur plan, ils avaient revêtu des costumes de super-héros. Mais les leur étaient insignifiants. Traverse, le plus grand et le plus costaud des deux, portait une combinaison noire. Benoît, plus petit, était vêtu de vert. Léonard enfila son propre costume en cinq secondes, mais il laissa tomber la caméra. Il n'avait qu'une idée en tête : libérer Léa !

Une fois qu'il fut redevenu Yoyoman, il enfourcha de nouveau son vélo, se lança sur une rampe pour se donner de l'élan, puis il sauta dans les airs. Les deux yoyos qu'il projeta tandis qu'il volait comme une fusée vinrent frapper Benoît dans le dos. La douleur fut si vive que le jeune vaurien s'effondra. Le superhéros poursuivit son vol, mais quand il reprit contact avec le sol, il se tordit la cheville et se coupa sur le bord d'une vieille rampe esquintée. Lorsqu'il voulut courir vers Traverse, il trébucha et s'étala de tout son long. Sa cheville lui faisait un mal de chien. Traverse en profita ; il se rua sur lui, puis lui donna un violent coup de pied à la cheville. Yoyoman, couché par terre, se tordait de douleur.

— Tu es fini ! Je t'ai eu ! Personne ne peut s'attaquer à Traverse ! Je suis le plus fort ! hurla le chef de bande en brandissant les poings.

— Je n'ai pas dit mon dernier mot, parvint à articuler Yoyoman en redressant péniblement la tête.

Le superhéros sortit discrètement un yoyo qu'il avait dissimulé dans une pochette autour de sa cheville, puis il le lança au visage de son ennemi. En moins de deux, le nez de Traverse se mit à enfler. Terrassé par la douleur, le voyou s'éloigna de son adversaire. Yoyoman parvint à se relever. Il délia Léa et enfourcha son vélo.

— Monte ! On s'en va, lui cria-t-il.

Léa alla rapidement détacher son chien, puis elle grimpa sur le guidon. Sans délai, ils sortirent du hangar, le chien courant derrière eux. Après avoir pédalé sans arrêt à toute vitesse, haletant, Yoyoman déposa son amie devant chez elle.

— Je t'en prie, montre-moi ton visage, fit-elle doucement.

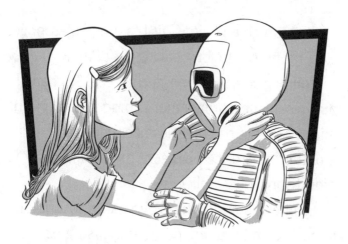

À ce moment, Léa mit ses mains sur le masque du héros. Yoyoman tressaillit. Calmement, il posa ses mains légèrement tremblotantes sur celles de Léa.

— Non ! dit-il. Il ne faut pas.

— D'accord, je respecte ton choix. Merci de m'avoir encore sauvée, murmura la jeune fille.

— Je serai toujours près de toi, lui répondit Yoyoman d'un ton rassurant.

Le chien, étrangement calme, se frotta délicatement la tête contre la jambe du garçon. Il était probablement reconnaissant envers celui qui venait de sauver sa maîtresse.

— Mon chien t'aime ! fit Léa, un peu étonnée. Allez, mon beau ! Notre balade est terminée.

Enfin rassurée, elle rentra chez elle. Ses parents soupirèrent de soulagement lorsqu'ils la virent enfin. Ce n'était pas dans les habitudes de leur fille de rentrer si tard. Le père et la mère étaient sur le point d'appeler les policiers.

La cheville endolorie, Yoyoman retourna discrètement chez lui en clopinant. Il se glissa par la fenêtre, mais il avait si hâte de se retrouver dans son lit qu'il oublia de refermer cette dernière comme il le faisait chaque fois qu'il revenait d'une mission... Quelle soirée !

CHAPITRE 11
Les soupçons de Léa

Habituellement, le samedi, Léonard jouait quelques heures dans le sous-sol de la maison et passait du temps avec Thomas. Aujourd'hui, en raison de sa blessure à la cheville, il se contenta de jouer à des jeux vidéo. En fin d'après-midi, il emballa le cadeau qu'il comptait offrir à Léa. Il ne savait pas trop si elle l'aimerait. À seize heures, il sonna à la porte de son amie. « Déjà presque deux mois que je la connais ! » se dit-il en songeant à la jolie rouquine qui occupait de plus en plus ses pensées.

— Léonard ! Entre ! s'exclama Léa, heureuse de le voir. On t'attendait. Tout le monde est arrivé.

— Salut, Léo ! firent les invités en chœur.

Pour l'occasion, tous portaient de jolis vêtements. Et Léa était radieuse. Léonard lui offrit son présent.

— Merci ! dit-elle. Je l'ouvrirai plus tard. Ici, sois prudent. Méfie-toi un peu de mon chien. Il ne ferait pas de mal à une mouche mais, tu l'as déjà vu, il est un peu sauvage, et ses réactions ne sont pas toujours prévisibles...

— C'est gentil de me prévenir, répondit poliment Léonard.

Au même moment, Tonnerre descendit l'escalier en trombe. Quand il vit Léonard, il bondit de joie. Ensuite, il se calma, puis il alla se coller contre lui. Léa semblait stupéfaite.

— Je ne l'ai jamais vu faire cela. Tu as un don avec les animaux ?

— Pas que je sache, répliqua le garçon.

Les jeux débutèrent : chaise musicale, limbo, mimes... Léonard aurait préféré rester assis. Sa jambe le faisait souffrir. Mais s'il s'était affalé sur un divan, Léa l'aurait sûrement démasqué. Elle était si perspicace. La veille, elle avait tout vu. Yoyoman s'était blessé sérieusement à la cheville. Elle le savait. Léonard ne devait rien laisser paraître. C'est avec courage qu'il s'efforçait de jouer avec les autres enfants. Ce n'était pas facile...

Chaque mouvement qu'il faisait lui était pénible. À un moment, au cours de la soirée, il alla se réfugier à la salle de bain. Il n'en pouvait plus. Sa cheville était enflée et il avait peine à rester debout. Devant ses amis, il parvenait assez bien à dissimuler sa douleur. Mais Léa, observatrice, avait remarqué que son ami n'était pas comme d'habitude. Quand il sortit de la salle de bain, elle lui demanda :

— Tout va bien, Léo ?

— Oui, oui ! Aucun problème ! Super chouette, ta fête ! répondit-il en faisant de valeureux efforts pour sourire.

Léonard retourna jouer sous le regard sceptique de Léa. « Lui, il ne me dit pas la vérité... Que me cache-t-il ? » songea-t-elle. Quand vint le moment de déballer les cadeaux, Léonard fut soulagé. Il put enfin aller s'asseoir sur le fauteuil, le chien pelotonné contre lui. Thomas était tout près.

— Peux-tu me dire ce que tu lui as fait, à ce chien ? Il ne te quitte pas !

— Je n'en sais rien. Ça doit être parce que je suis son voisin. Mais là, arrête de me parler, Léa commence à ouvrir ses cadeaux !

Soudain, Léonard devint anxieux. Son amie aimerait-elle son présent ?

— Je commence avec le cadeau de Léonard, annonça-t-elle avec un sourire.

« En plus, elle ouvre mon paquet en premier ! » se dit le garçon, tout heureux. Calmement, Léa défit le papier d'emballage doré qui recouvrait la boîte. Thomas la regardait et ne comprenait pas ; avec lui, déjà, le plancher aurait été tapissé d'une tonne de papiers chiffonnés !

— Oh ! Des émetteurs-récepteurs portatifs ! s'exclama Léa.

Thomas fixa Léonard. À l'oreille, il lui glissa :

— Des walkies-talkies ! Léonard, à quoi as-tu pensé ? Les filles ne jouent pas avec ça. Tu aurais dû me les offrir à mon anniversaire, c'est dans un mois...

Mais Léa s'approcha de Léonard et le serra dans ses bras.

— Merci, Léo ! J'aime ton cadeau, fit-elle d'un ton ravi.

Quand Léa retourna déballer les autres présents, Léonard chuchota à Thomas :

— Tu vois, elle les aime !

— Elle dit ça pour ne pas te blesser, répondit Thomas en haussant les épaules. Tu viens de brûler tes chances ! Elle ne sera jamais ta copine...

La fête se termina vers neuf heures. Léonard rentra chez lui. Il avait hâte de mettre de la glace sur sa blessure.

De son côté, assise dans son salon, Léa réfléchissait. Son ami Léo avait été différent ce soir... Il avait été aussi gentil que d'habitude. Mais son comportement était étrange... Elle avait aussi remarqué qu'il boitait légèrement. Et Tonnerre était resté collé à lui toute la soirée !... Ce n'était pas pour rien que Léa était journaliste. Elle était curieuse. Tant qu'elle ne connaîtrait pas la vérité, elle n'aurait pas de repos...

Pour en savoir plus, elle décida de mener sa propre enquête. D'abord, elle sortit discrètement de chez elle, puis elle alla fureter près de la maison de Léonard. Pourquoi n'invitait-il jamais personne chez lui? Il était si discret sur sa vie personnelle... En fait, on connaissait peu de choses de lui. Un jour, elle s'en souvenait, il leur avait dit que sa chambre était située au sous-sol. En catimini, Léa regarda par les fenêtres. Mais elle ne voyait rien, car ces dernières étaient voilées par des rideaux.

Elle était sur le point de retourner chez elle quand elle vit une fenêtre légèrement entrouverte. Oserait-elle? Irait-elle trop loin si elle entrait? Si Léonard la surprenait chez lui, serait-il furieux? Mais son désir de connaître la vérité était trop grand. Téméraire, elle se glissa par la fenêtre.

Quand elle vit l'immense sous-sol rempli d'articles de sports extrêmes, elle se figea. Des rampes, un trampoline, des dizaines de BMX accrochés à un mur, une centaine de yoyos jonchant le sol, un mur d'escalade... Et par terre, à côté d'un sac à dos, un costume qu'elle avait vu plus d'une fois! Mais où venait-elle d'atterrir? Qui était véritablement son ami? Soudain, Léa réalisa qu'elle avait dépassé les bornes en entrant ainsi sans permission dans la maison de ses voisins. Elle s'apprêtait à s'en aller quand Léonard sortit de sa chambre en claudiquant.

— Léa! fit-il, surpris. Que fais-tu ici?

— Léonard!... s'exclama la jeune fille en se troublant un peu.

— Léa, je peux tout expliquer..., commença le garçon.

Léa, gentiment, lui fit signe de se taire. Lentement, elle s'approcha de lui.

— Non, ne dis rien, fit-elle doucement en approchant son visage du sien.

Elle lui donna un léger baiser en l'étreignant. Le cœur de Léonard battait à tout rompre.

— Léa, je suis désolé pour le cadeau, bafouilla-t-il. Thomas m'a dit que j'étais à côté de la plaque. Je n'ai pas de sœur, aucune cousine... Je ne sais pas ce que les filles aiment.

— Léonard, c'est le plus beau cadeau que j'ai reçu cette année ! Il nous permettra de nous parler tard le soir.

CHAPITRE 12
Traverse

Maintenant, tous les matins, Léonard se rendait à l'école en compagnie de Léa. Elle roulait désormais en BMX. Léonard lui en avait prêté un, puisqu'elle voulait se familiariser avec ce sport. Après l'école, ils se rendaient au parc, avec Thomas, pour s'amuser sur les rampes. Traverse ne les embêtait plus. Isolé, il était plutôt tranquille. Mais quand, le jeudi matin, il lut le nouvel article de Léa, il devint rouge écarlate. À la récréation, dans la cour, il se mit debout sur un gros rocher et prit la parole.

— Si l'un de vous connaît Yoyoman, cria-t-il, passez-lui ce message : vendredi soir, au parc, je le mets au défi de m'affronter ! On verra bien qui est le plus fort...

Léonard l'écoutait sans broncher. Léa regardait son ami, inquiète. Elle savait très bien qu'il était encore blessé. Sa jambe lui faisait très mal, même s'il lui disait que ça allait. Thomas, lui, au contraire, était emballé.

— Ne me cherchez pas vendredi soir, je serai au parc ! s'écria-t-il. Je ne manquerais ça pour rien au monde. Yoyoman le mettra K.-O. en trente secondes. Je suis prêt à parier ma chemise !

Toute la journée, Léonard afficha un air songeur. Il n'arrivait pas à se concentrer sur son travail. Heureusement, Léa, compréhensive, se chargea de terminer pour lui les exercices qu'avait donnés Mme Marie.

Sur le chemin du retour, elle osa aborder le sujet :

— Que feras-tu, Léo ? Tu ne peux tout de même pas te présenter devant lui dans cet état ! Tu risques de te blesser encore plus.

— Je ne sais pas, avoua le garçon. Si je n'y vais pas, Traverse croira qu'il a triomphé. Et tout le monde sera déçu. Ils croiront qu'ils ont été abandonnés, trahis...

— Quoi que tu fasses, je suis avec toi, le rassura son amie.

— Merci, Léa! On se voit demain...

Cette nuit-là, Léonard eut de la difficulté à s'endormir. Troublé, il songeait à ce qu'il devait faire. Le lendemain matin, il avait une mine affreuse. Ses parents, croyant qu'il couvait une grippe, lui conseillèrent de rester à la maison. Excellente idée! Il prendrait la journée pour se reposer, afin d'être en meilleure forme le soir. Il prit son walkie-talkie, puis il appela Léa.

— Je n'ai pas très bien dormi cette nuit, lui dit-il. Je n'irai pas à l'école ce matin. On se verra ce soir.

— Où? demanda Léa avec une pointe d'anxiété.

— Au parc! répondit Léonard fermement.

Le parc était bondé d'enfants. Tous attendaient avec frénésie l'arrivée du superhéros. La plupart d'entre eux jouaient au yoyo, surtout pour passer le temps. Thomas et Léa étaient ensemble, les bras croisés. Comme tous les autres, ils trépignaient d'impatience.

— Pauvre Léo ! s'exclama Thomas. Il n'a pas de veine ! Tomber malade aujourd'hui ! Dire qu'il manquera ce combat...

Traverse était déjà arrivé. Il faisait des sauts sur la grande rampe avec son BMX. Il essayait d'en mettre plein la vue aux spectateurs, mais tout le monde l'ignorait. Tous voulaient voir Yoyoman.

Quand les lampadaires du parc s'allumèrent, le superhéros apparut devant eux comme par magie. Sur son vélo, il s'engagea à toute allure sur la rampe — la même qu'utilisait Traverse. Après avoir exécuté quelques habiles acrobaties, il s'arrêta au sommet de la rampe. Les chaleureux applaudissements de ses partisans lui insufflèrent de l'énergie. Il était prêt.

— Pendant un moment, j'ai cru que tu ne viendrais pas, cria Traverse, qui se trouvait à l'autre extrémité de la rampe.

Sur ces mots, il se rua sur Yoyoman. Le fripon était rapide, mais beaucoup moins que pouvait l'être le superhéros. Normalement, celui-ci aurait pu éviter l'assaut de son adversaire. Mais ce soir-là, en raison de sa blessure, il se mouvait plus lentement. Habile, Traverse parvint à le saisir par le bras. Il jubilait, persuadé qu'il vaincrait le justicier. Et d'ailleurs, il était prêt à tout pour arriver à ses fins. Il se souvint alors que son ennemi s'était blessé à la jambe durant leur dernier affrontement. Astucieusement, il lui donna un violent coup de pied à la cheville. Saisi, en proie à une violente douleur, Yoyoman fit une chute de trois mètres...

Les enfants s'affolèrent. Leur héros était en difficulté ! Vite, il fallait réagir. Traverse, sûr de l'emporter, bondit sur le pauvre Yoyoman qui geignait sur le sol. Le jeune caïd s'apprêtait à sortir les poings quand, tout à coup, Thomas lui balança son yoyo en plein visage ! Furieux, Traverse se tourna vers son agresseur.

— Thomas ! Tu n'aurais jamais dû me lancer ce yoyo, hurla-t-il. Quand j'en aurai fini avec le justicier, je t'écrabouillerai le visage !

— Essaie pour voir, fit Léa.

Contre toute attente, elle projeta elle aussi son yoyo en direction du voyou. Quelques secondes plus tard, Traverse fut bombardé par une pluie de yoyos. Visé de toutes parts, il prit la fuite sans tarder.

Thomas et Léa s'approchèrent de Yoyoman. Le courageux garçon lui tendit la main pour l'aider à se relever.

— Tu as gagné, fit-il.

— Non, NOUS avons gagné ! corrigea le superhéros en souriant faiblement.

Tous les enfants lancèrent des hourras.

ÉPILOGUE

Le lendemain de cette soirée riche en émotions, Léonard s'était rendu à la clinique médicale de son quartier. Heureusement, sa cheville n'était pas cassée, mais elle était sérieusement abîmée. Le médecin avait été ferme :

— Aucune activité physique pour les deux prochaines semaines ! lui avait-il dit en fronçant les sourcils d'un air sévère.

Ces congés forcés rendaient Léonard fébrile. Il suivit les recommandations du médecin à la lettre, même si cela ne l'enchantait pas. Il voulait tellement que sa cheville guérisse. C'est pourquoi il devait la ménager. Quand il reprendrait l'entraînement, il serait en pleine forme.

À l'école, Traverse n'intimidait plus personne. Il faisait même des efforts pour être gentil. On racontait qu'il rencontrait un psychologue chaque semaine et qu'il prenait cela au sérieux. Plus aucun élève de l'école ne vivait dans la peur. Le fléau de l'intimidation semblait avoir été complètement enrayé. Les enfants se sentaient unis, solidaires.

À présent, Léonard ne pensait que très rarement à son ancien quartier. Pour être honnête, il trouvait que le nouveau n'était vraiment pas si mal ! Il avait su s'y intégrer à sa manière.

Ses nouvelles amitiés lui étaient précieuses. Léonard connaissait de mieux en mieux son ami Thomas. Son exubérance lui faisait du bien. Il ne lui avait toujours pas révélé sa double identité. Toutefois, il lui avait enfin parlé de la prestigieuse compagnie d'articles de sport de ses parents. Léo était le fils de Tanya Lessard et de Gabriel Lacourse, deux légendes des sports extrêmes. Wow ! Quand Thomas avait vu la grande salle de jeu de son copain, il s'était presque évanoui... Depuis, il venait fréquemment chez lui. Léonard lui enseignait des figures, mais, là encore, il ne lui montrait pas tout ce qu'il savait faire. Après tout, il devait garder certains secrets pour lui !

Dans le quartier, le yoyo gagnait toujours en popularité. Après le repas de midi, à l'école, les jours où Léa était occupée à travailler au local du journal, Léonard donnait des leçons de yoyo gratuites, au grand plaisir de ses camarades.

Avec Léa, c'était toujours l'amour... La fillette avait changé un peu sa routine du vendredi soir. Elle soupait en vitesse et, tout de suite après, elle allait faire une balade avec son chien. Elle passait le reste de la soirée avec Léonard. Elle adorait s'entraîner à différents sports avec son amoureux. Il lui enseignait tout ce qu'il savait. Talentueuse, elle progressait à une vitesse ahurissante. Si des problèmes de violence resurgissaient un jour, Léonard savait qu'il pourrait compter sur une partenaire de choix. Yoyoman n'était plus seul...

Au milieu du mois de novembre, tôt le matin, les premiers flocons de neige se mirent à tomber. Quand il les vit, Léonard bondit de joie. Bientôt, il pourrait sortir sa planche à neige et ses skis! Lorsqu'il sortit pour aller chercher Léa, il remarqua que la maison qui se trouvait en face de la sienne était à vendre. «Oh! Nous aurons bientôt de nouveaux voisins», se dit-il. Puis, songeur, il pensa à tout ce qui avait changé dans sa vie depuis qu'il était arrivé à Beauchêne...

LEXIQUE

Bredouiller: parler rapidement d'une façon peu distincte

Cacophonie: vacarme

Courtois: gentil

Dextérité: adresse, habileté

Émérite: qui a une grande expérience grâce à une longue pratique

Épier: observer de façon secrète

Esquiver: éviter adroitement

Fanfaronner: se vanter

Foudroyer du regard: lancer un regard menaçant

Fulminer: s'emporter, tempêter

Goguenard: moqueur

Importuner: déranger

Incessant: qui continue sans arrêt

Invectiver: lancer des insultes

Maugréer : bougonner

Narquois : malicieux

Penaud : embarrassé, honteux à la suite d'une maladresse

Perplexe : indécis

Pester : manifester sa mauvaise humeur

Prototype : premier exemplaire d'un modèle, construit avant la fabrication en série

Rouquine : personne qui a les cheveux roux

Stoïque : qui supporte l'adversité avec courage

Subterfuge : moyen détourné, ruse

Tressaillir : sursauter

Vindicatif : qui a la volonté de se venger

LE YOYO

Le yoyo existe depuis des lustres. Il est considéré comme le deuxième jouet le plus ancien du monde, après la toupie. En Grèce, il y a plus de 2000 ans, les enfants s'amusaient avec ce jouet extraordinaire. À cette époque, bien sûr, ils se contentaient de lancer le yoyo et de le ramener dans un va-et-vient continu. D'ailleurs, pendant des siècles, ce jeu s'est limité à réaliser des figures simples. Selon les spécialistes, les prouesses spectaculaires sont apparues récemment dans l'histoire. En effet, ce n'est qu'au XXe siècle que le jeu connaît une explosion. Dans les années 1980, on forme même des « pros », on organise des compétitions, on fait des démonstrations dans les rues... Grâce à cette évolution, les joueurs deviennent très innovateurs et imaginatifs. Aujourd'hui, les figures sont complexes et les mouvements, d'une rapidité déconcertante. Les fabricants nous offrent maintenant des yoyos qui ont du style. Dans les magasins de jouets, on peut en trouver de tous les prix. Des joueurs comme Grant Johnson et Jensen Kimmitt sont devenus des stars. Le monde du yoyo est fascinant!

Des yoyos d'autrefois !

Les yoyos de nos jours !

QUELQUES FIGURES

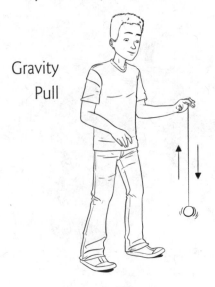

Gravity
Pull

Sleeper

À RÉALISER AVEC UN YOYO

Walk
the Dog

Creeper

LIRE, RÉFLÉCHIR ET BOUGER

QUESTIONS ET EXERCICES PÉDAGOGIQUES

Léonard est un garçon charmant. Il est sensible, dévoué et modeste. Ce sont de belles qualités. En plus d'être gentil, il excelle dans les sports. Tous ceux qui le connaissent le trouvent talentueux. Comme Léonard, tu es peut-être très habile dans un domaine. Cependant, pour accomplir des exploits, le talent est-il suffisant? Sûrement pas! Léonard en sait quelque chose. Il s'entraîne durant de nombreuses heures chaque semaine. Par exemple, pour parvenir à maîtriser une figure de yoyo, l'entraînement peut être long et ardu. Mais Léonard a appris dès son plus jeune âge le sens du mot « persévérance ».

OBJECTIFS PÉDAGOGIQUES

— Montrer qu'il est important de persévérer pour réussir dans nos actions.

— Découvrir de nouveaux sports et explorer l'univers des jeux d'habileté comme le yoyo.

— Réfléchir sur la problématique de l'intimidation.

ÉTUDE DU TEXTE

1. Pourquoi les parents de Léonard ont-ils décidé de déménager ?

Réponse : Leur compagnie d'articles de sport prend de plus en plus d'expansion. Par conséquent, ils doivent se rapprocher de la métropole.

2. Quels sont les sports que pratique Léonard ?

Réponse : Léonard pratique le BMX, la planche à roulettes, l'escalade, le trampoline, le ski, la planche à neige...

3. Pourquoi Léonard est-il bon dans les sports ?

Réponse : Léonard est passionné. Il passe de nombreuses heures à s'exercer. De plus, ses parents l'encouragent à persévérer, puisqu'ils sont également de grands sportifs.

4. Pourquoi Léonard et Thomas s'entendent-ils si bien ?

Réponse : Les deux garçons ont des intérêts communs. Par exemple, ils pratiquent ensemble le BMX. De plus, ils se complètent bien. Léonard est plus réservé, tandis que Thomas est plus extraverti.

5. Pourquoi Léonard trouve-t-il Léa courageuse ?

Réponse : Léonard trouve que Léa a du courage, car elle ose dénoncer les intimidateurs dans le journal scolaire.

6. Quelles sont les forces de Léa ? En quoi ces dernières lui sont-elles utiles dans son travail de journaliste ?

Réponse : Léa est bonne en français. Puisqu'elle maîtrise bien la langue française, elle écrit de très bons textes. Par ailleurs, Léa est courageuse. Elle n'hésite pas à poursuivre son travail, même si elle est menacée. Enfin, elle est curieuse.

7. Pourquoi Léonard est-il amoureux de Léa?

Réponse: Léonard admire le courage de Léa. En outre, elle aime bouger, comme lui. Enfin, il la trouve très jolie.

8. Pourquoi Léonard n'invite-t-il pas ses amis chez lui?

Réponse: Léonard tient à préserver son secret. Il ne veut pas que ses amis sachent qu'il est Yoyoman. De plus, il ne veut pas que ses amis connaissent tout de suite l'identité de ses parents célèbres. Il souhaite qu'on s'intéresse à lui et pas seulement au nom qu'il porte.

9. Quels sont les gestes d'intimidation que posent Traverse et ses copains? Selon toi, s'agit-il d'intimidation directe ou indirecte?

Réponse: Traverse et sa bande volent des objets, brusquent les autres enfants et leur font des menaces. La majorité du temps, il s'agit d'intimidation directe, car ils affrontent directement leurs victimes. L'intimidation indirecte est plus sournoise. Elle se fait en cachette, mais elle est aussi dévastatrice que l'intimidation directe. Partir des fausses rumeurs au sujet de quelqu'un, parler dans le dos d'une personne sont des exemples d'intimidation indirecte.

10. Pourquoi Léonard aime-t-il autant se glisser dans le personnage de Yoyoman?

Réponse : Léonard est un garçon discret. Il n'aime pas être le point de mire. Sous les traits de Yoyoman, il a davantage confiance en lui. Il peut exprimer toutes les facettes de sa personnalité. De plus, quand il est Yoyoman, il sent qu'il est utile parce qu'il vient en aide aux autres. Il sait qu'il peut changer les choses.

11. Pourquoi Thomas pense-t-il que le cadeau de Léonard ne plaira pas à Léa?

Réponse : Thomas croit que les filles n'aiment pas les walkies-talkies.

ACTIVITÉS PROPOSÉES

— Tente de créer ton propre superhéros. Donne-lui des forces et des qualités. Peut-être même des défauts.

— Présente à tes camarades de classe le sport que tu aimes pratiquer en été.

— Essaie d'exécuter quelques figures avec un yoyo. (Tu peux trouver sur Internet de nombreuses vidéos qui te montreront comment faire.)

— Propose une activité spéciale à ta classe. Par exemple, jouer à l'extérieur tous ensemble et faire une partie de « dernier survivant ».

— Il s'agit d'un jeu simple, mais aussi très drôle. En fait, plus on est nombreux et plus c'est amusant. On choisit un poursuivant parmi les participants, puis tout le monde se met à courir. Aussitôt que le poursuivant touche quelqu'un, ce dernier devient également un poursuivant. Et ainsi de suite. On court de cette façon jusqu'à ce qu'il ne reste qu'une personne : le dernier survivant.

CRISTOPHE BÉLAIR

Cristophe Bélair enseigne à des élèves de cinquième année du primaire. Il vit présentement dans les Basses-Laurentides avec sa femme et ses trois enfants. Depuis qu'il a créé le personnage de Léonard Lacourse, alias Yoyoman, il joue au yoyo...